❖ L'Inde Dorée ❖

TAJ MAHAL

❖ L'Inde Dorée ❖
TAJ MAHAL

Texte:
Ganesh Saili

PML
EDITIONS

"A Abha, Tulika et Tania, pour avoir renoncé à leurs vacances d'hiver."—Ganesh Saili

© Lustre Press Pvt. Ltd. 1996

PML Editions 1996

ISBN: 2-7434-0471-X

Publié pour la première fois par
Lustre Press Pvt. Ltd.
M-75 GK II Market, New Delhi-110 048, INDIA
Tél.: (011) 644 2271/646 2782/0886/0887
Fax: (011) 646 7185

Imprimé à Singapour

Photographies:

Ashok Dilwali
D.N. Dube
Karoki Lewis
Pramod Kapoor

Rédactrice: Bela Butalia

Traduit par: Virginie Troit et David Amehame

Maquette: N.K. Nigam

Conçu et créé par

Pramod Kapoor

à

Roli Books CAD Centre

20

Le Taj et la magnificence d'Agra La Moghole

38

Le Taj : Histoire et description

Pages précédentes 6-7 : Le jardin du complexe du Taj est carré, divisé par des bassins en pierre. Les murs extérieurs possèdent un grand nombre de tours surélevées de coupoles. Trois des murs ont des portes, le quatrième étant remplacé par le Taj Mahal et ses deux mosquées. La rivière s'écoule juste derrière le Taj. En faisant précéder le monument d'un jardin en longueur et en le plaçant sur les bords de la rivière Jamuna, Shah Jahan s'assura qu'il demeure à l'écart du tohu-bohu de la vie quotidienne et qu'il conserve sa vraie nature.

Pages précédentes 8-9 : Les jardins moghols étaient caractérisés par une symétrie parfaite. Les canaux étaient larges, plaques miroitantes bordées de chemins et d'arbres taillés. La tradition d'entourer leurs tombes de jardins était probablement inspiré par le fondateur de l'empire moghol en Inde, Babar, qui avait souhaité que ses jardins préférés à Kaboul abritent sa dernière demeure.

Pages précédentes 10-11 : Vue arrière du Taj Mahal juste avant le coucher du soleil, depuis les champs cultivés de l'autre côté de la Jamuna.

Mumtaz Mahal (1592-1631), reine bien-aimée de l'Empereur Shah Jahan, décédée prématurément, seulement trois ans après le couronnement de l'Empereur.

Pages suivantes 14-15 : Les quatre côtés du mausolée ont des entrées longues d'environ cent trente pieds. Les arches elliptiques formant les portes sont hautes de dix-huit pieds et chacune est surélevée d'une fenêtre également en forme d'ellipse. Les entrées à l'intérieur des arches encerclant le hall octogonal, sont décorées de fleurs en relief, taillées dans le marbre, et incrustées de pierres précieuses de différentes couleurs. Du sol aux arches, et le long des murs, des passages du Coran sont inscrits en marbre noir.

Pages suivantes 16-17 : "Dans ces pièces, le Coran était lu constamment au profit de l'âme du couple royal dont les cendres gisent enterrées là." Syad Muhammed Latif (1896). Le hall octogonal, au-dessous du dôme central, où sont disposées les tombes en marbre de Mumtaz Mahal et de Shah Jahan.

Pages suivantes 18-19 : Fleurs et autres dessins taillés dans le marbre décorent le bas-relief à l'entrée du mausolée. On peut aussi voir des panneaux de marbre sculpté tout le long, à la base des murs. Le doux jeu des couleurs et les sculptures sont censés briser la monotonie du marbre en maintenant l'harmonie de ses tons nacrés.

Shah Jahan (1592-1666). Avant tout homme d'action, Shah Jahan était si désespéré après la mort de Mumtaz Mahal que la construction d'un monument à sa mémoire devint l'unique objectif de sa vie.

LE TAJ ET LA MAGNIFICENCE D'AGRA LA MOGHOLE

Parmi les dynasties qui ont gouverné l'Inde, une en particulier a laissé une empreinte indélébile en cédant au monde des monuments durables, signe d'une abondante énergie et d'un usage polyvalent du pouvoir, qui pouvait utiliser les vies et le travail des hommes dans son propre but. Ce fut en été 1526 que *Babar*, le premier des conquérants moghols vainquit le sultan Ibrahim Lodi, le dernier des rois afghans, sur le champ de bataille historique de Panipat. Le butin était important. Delhi et Agra tombèrent immédiatement aux mains de l'envahisseur qui envoya une partie du butin à chaque citoyen de sa capitale Kaboul. Son fils Humayun fut envoyé à Agra pour occuper la ville et s'emparer du trésor. A son arrivée, le prince fut salué par la veuve du *raja* de Gwalior, tombé à Panipat. Elle lui offrit des bijoux en gage de paix. Dans le plus fascinant des livres d'action et d'aventure, "Les Mémoires de Babar", le conquérant décrit que "parmi les bijoux se trouvait le fameux diamant *Koh-I-Nur* (montagne de lumière)" qui, après être passé de main en main, arriva finalement à la Tour de Londres. Babar mourut à Agra le 12 décembre 1530. Ses restes reposent aujourd'hui dans la Tombe Rouge à Kaboul, dans le Jardin des Plaisirs à propos duquel il écrivit "quand les fleurs d'agate sont écloses, quand le jaune se mélange au rouge, je ne connais aucun endroit comparable au monde." Humayun, le second des Moghols eut peu d'influence sur l'histoire d'Agra. On disait de lui que, s'il y avait une possibilité d'échec, Humayun ne serait pas le genre d'homme à la manquer. Il trébuchait dans la vie en général et au sens propre de la terrasse de sa bibliothèque dans du terme, se tordant le cou en tombant *Purana Kila* à Delhi. La tombe

Zahir-al-din Babar (1483-1530), le fondateur de l'empire moghol en Inde.

Muhammad Humayun (1508-1556), le second empereur moghol.

Jalal-ud-din Muhammad Akbar (1542-1605), le troisième empereur moghol.

20

d'Humayun, construite par une de ses femmes, fut le premier grand monument moghol en Inde. Né le 15 octobre 1542 au coeur du désert du Rajasthan, Akbar, le grand Moghol, accéda au trône de Delhi au jeune âge de quatorze ans. Neuf ans plus tard, en 1565, ayant transféré sa capitale à Agra, il commença à construire le fort d'Agra, la citadelle de grès rouge qui s'étend le long des rives de la Jamuna, probablement le bastion le plus unique sur le surface du globe.

Purana Qila (Din-panah), la cité à moitié achevée d'Humayun à Delhi. La Qila contient le monument octogonal de Sher Shah, Sher Mandal, transformé en bibliothèque par Humayun.

C'est l'association de la ville d'Agra, originellement Akbarabad, et des empereurs moghols, qui fait d'elle probablement la ville la plus intéressante d'Inde, une attraction unique pour les touristes et les voyageurs. Dessiné en forme de croissant, il fallut huit ans pour construire le Fort d'Agra. Ses murs, d'une hauteur de sept *pieds*, s'étendent sur un *mile* et demie. Beaucoup des beaux monuments à l'intérieur ont été érigés plus tard par le petit-fils d'Akbar, Shah Jahan. Pendant près d'un siècle, ce bastion aux allures de palace fut le centre d'un empire qui s'étendait de Kaboul à Dacca, d'Ahmedabad au Cachemire. Et malgré le fait qu'il soit aujourd'hui dénué de la grande pompe impériale et de gloire, non entretenu et non meublé, l'ensemble remarquable de palais, de mosquées, de halls, de bassins, et de terrasses qui se trouvent à l'intérieur des murs, lui confère un intérêt inépuisable. Le style exacerbé et vigoureux de l'architecture décorative introduit par Akbar dans les palais de grès fut considérablement enrichi par son petit-fils Shah Jahan, empereur et amant passionné, artiste et dévot. Le délicat travail d'incrustation dans le marbre blanc ainsi que les bas reliefs sont magnifiques. Ici, dans le hall d'audience privé, les souverains moghols s'asseyaient sous des arches de marbre blanc aux proportions extraordinaires. Aujourd'hui, la vaste cour reste désertée et silencieuse. Les balcons et les balustrades sont inoccupées. Mais il suffit d'un peu d'imagination pour revoir ces halls et ces pavillons luire de parures de soie, de superbes tapisseries et de toute la splendeur de la cour de l'Empereur Akbar qui était indubitablement le plus compétent et le plus remarquable monarque de son époque.

La tombe d'Humayun, construite par la veuve aînée de l'empereur, Hazi Begum, en 1573, fut un précurseur du Taj Mahal.

Lors du règne de la Reine Elisabeth, trois Anglais se présentèrent à la cour du Grand Moghol avec une lettre de la Reine. L'un disparut, le second entra au service du Moghol et le troisième, Ralph Fitch,

un marchand londonien, retourna en Angleterre et fonda la "Compagnie des marchands de Londres commerçant avec Les Indes." Une centaine d'années plus tard, elle devint la "John Company" qui posséda les plus hauts pouvoirs en Inde jusqu'en 1818. A cinq *miles* d'Agra, à Sikandra, se trouve la tombe d'Akbar, un monument de

grès rouge et de marbre de cinq étages, là où les grenades écarlates et le jasmin blanc dansent avec la brise. Les jardins s'étendent sur environ cent cinquante acres et sont

principale est inhabituelle chez les Moghols, dominée par des minarets de marbre blanc.

Dans le *Naubat Khana* au-dessus, on battait le tambour en l'honneur des morts à l'aube,

Ci-contre : Cela prit plus de huit ans pour construire le Fort Rouge d'Agra en forme de croissant, commencé par Akbar en 1565, après avoir démoli le fort de Sikandar Lodi. Le grès rouge utilisé pour la construction des murs et de certains appartements, donne son nom au fort, qui se dresse à quelques kilomètres du Taj Mahal sur la rive ouest de la Jamuna. Les murs d'enceinte étaient longs de 2,4 kilomètres avec soixante-dix pieds de haut. Des quatre principales entrées originales, il ne reste que la porte Amar Singh, blindée avec des pointes de fer, encore en service. Le côté droit du fort fait face à la rivière. Les palais d'Akbar longeaient le haut du mur faisant face à la rivière.
Pages doubles suivantes 24-25 : *Le balcon ouvert à l'extérieur du Diwan-i-khas dans le fort d'Agra, où Jahangir avait son trône, est taillé dans un seul bloc de marbre noir.*

Le Khas Mahal (les quartiers impériaux) dans le fort d'Agra a été détruit et reconstruit par Shah Jahan pour sa reine bien-aimée, Mumtaz Mahal, qui, cependant, mourut avant que les appartements soient achevés. Par la suite, la fille de Shah Jahan, la princesse Jahanara occupa ces appartements.

entourés de murs de vingt-cinq *pieds* de haut avec quatre jolies portes en grès. La porte

puis, encore, juste après le lever du soleil.

Sur la porte de la tombe

d'Akbar, furent gravés par Amant Khan en 1613 ces mots : "Voici les jardins d'Eden, entrez ici pour y vivre à jamais."

On dit que Jahangir partait d'Agra tous les matins pour superviser la construction du mausolée de son père, qui, de forme pyramidale et unique en son genre, n'a pas d'équivalent parmi les monuments perses ou saracéniques. D'un point de vue architectural, il est conçu d'après une *vihara* bouddhiste, ce qui en fait avec ses sculptures hindoues, un témoin de la paix acquise par le souverain qui y repose. Trois

Ci-contre : Musamman Burj (la tour de jasmin) ou Samman Burj telle qu'elle est connue aujourd'hui, domine la Jamuna. A l'origine, c'était la chambre à coucher de Jahangir mais elle a été reconstruite par Shah Jahan pour Mumtaz Mahal. Shah Jahan l'utilisa probablement comme sa chambre lorsqu'il fut confiné de force dans le fort par son fils Aurangzeb. Il passa les dernières années de sa vie, les yeux fixés dans l'horizon lointain, sur le Taj qui fut certainement sa plus remarquable construction.

mille ouvriers furent employés mais la construction ne fut achevée que huit ans après la mort d'Akbar.

Chacun des cinq étages du bâtiment principal est entouré de

Pilier à l'entrée de la Tour de Jasmin dans le fort, avec transept travaillé en incrustation "pietra dura". Empruntée aux artistes florentins, qui utilisaient l'art de la pietra dura en art figuratif, Nur Jahan la première introduisit cette technique dans le marbre de la tombe qu'elle bâtit pour son père à Agra.

là pour une courte période, n'occupait qu'une petite partie de l'espace disponible.

L'étage le plus haut est peut-être le plus intéressant. Les murs en treillis de marbre, la

cloîtres à arcades si vastes, qu'une fois, un régiment de dragons britanniques, cantonné

chaussée de marbre et le cénotaphe taillé dans un seul bloc de marbre blanc donnent à

27

l'enceinte cloîtrée une beauté et un intérêt inégalables.

A la tête du cénotaphe se trouve un piédestal de marbre dans le renfoncement creux duquel se trouvait le magnifique

de l'endroit où repose le corps de l'Empereur dans la chambre forte du dessous. Sur la face nord du cénotaphe, la devise de la secte qu'il fonda est inscrite : "*Allahu Akbar*", "Dieu est le plus

dans tout autre, on tend à penser sans cesse au personnage d'Akbar. C'était un homme exceptionnel à plusieurs titres, aussi bien doté physiquement

La cour de marbre blanc contenant la sépulture finement sculptée d'Akbar à Sikandra, près d'Agra, se trouve au-dessus d'un pavillon à trois étages en grès rouge. Vue d'un coin de la cour d'entrée.

diamant *Koh-I-Nur*. Le cénotaphe est gravé des quatre-vingt-dix-neuf noms glorieux d'Allah, exactement au-dessus

grand"; et sur la face sud "*Jalla Jalalahu*", "Que sa gloire rayonne."

Dans cet endroit plus que

Ci-contre : Entrée de la crypte de la tombe d'Akbar à Sikandra. La tombe fut commencée de son vivant mais achevée par son fils Jahangir après sa mort. Ce mausolée du dix-septième siècle est dans le style d'une tombe-jardin mais très différente des tombes recouvertes d'un dôme comme celles d'Humayun ou de Shah Jahan. Il possède un cloître ouvert, exécuté à la demande expresse d'Akbar, qui ressemble au Panch Mahal à Fatehpur Sikri. Les murs intérieurs de la tombe sont somptueusement peints de dessins géométriques et floraux, soulignés à l'or. Des espaces horizontaux avec des inscriptions du Coran divisent le hall d'entrée en son milieu.

Pages doubles suivantes 30-31 : Vue du Taj Mahal d'une fenêtre en pierre dans le fort. Les panneaux de grès rouge sculptés sont caractéristiques de l'architecture vigoureuse et décorative introduite par Akbar dans ses palais et ses constructions. Le concept d'équilibre et de symétrie qui caractérise le Fort et le Taj Mahal reflète le génie métaphysique à la base de l'Islam.

qu'intellectuellement. Dans chacune de ses victoires, il montrait de la clémence aux vaincus. Un des plus beaux exemples de son humanité nous est donné par le spécialiste

L'Empereur Jahangir (1569-1627), quatrième empereur moghol. Sous Jahangir, l'art, et particulièrement la peinture, acquit un réalisme nouveau. Deux monuments moghols d'importance, la tombe d'Akbar à Sikandra et la tombe des parents de Nur Jahan à Agra, furent bâtis durant cette période.

32

allemand Emil Schmitt qui écrit "une fois, alors qu'il fallait persuader le maharadjah de Jodhpur d'abandonner son intention de forcer la veuve de son fils défunt de monter sur le bûcher funéraire, Akbar n'hésita pas à parcourir deux cent vingts *miles* à cheval en deux jours."

Le même écrivain écrit "libéré de tous ces préjudices qui scindent la société et créent des dissensions, tolérant des hommes de races différentes, il était certainement l'homme tout désigné pour unir les éléments en conflit de son royaume et fonder un ensemble fort et prospère." C'était un idéaliste très en avance sur son époque. En avril 1609, le Capitaine William Hawkins arriva aussi à Agra. Il y vécut treize ans, et l'Empereur Jahangir avait beaucoup de sympathie pour ce marin brusque, qui parlait turc, langue maternelle des descendants de Babar, bien que la langue de la cour soit le perse.

Le Capitaine Hawkins devint

"Inglis Khan", un des nobles de la cour, participa à ses fonctions et aux divertissements privés de son royal protecteur.

Hawkins partit, sa mission au nom de l'East India Company

Mehr-u-Nisa ou Nur Jahan (1577-1645), la puissante épouse de Jahangir, était un poète accompli, une dessinatrice et une chasseresse fervente. Elle était renommée pour sa beauté et reconnue comme la grande puissance derrière le trône, dès son mariage avec Jahangir en 1611.

inachevée, et mourut pendant son voyage de retour. Quelques années plus tard, un ambassadeur royal du roi James Ier d'Angleterre et d'Ecosse vint à la cour de l'Empereur Jahangir. Il s'appelait Thomas Roe.

Contrairement à Hawkins, Roe ne prêtait que peu d'attention à la cour de Jahangir. Les orgies de l'Empereur le repoussaient, les filles de petite vertu le choquaient. Mais il réussit en partie sa mission. Il quitta l'Inde avant que la réformation de Jahangir ne soit provoquée par une des femmes les plus remarquables de l'histoire, Mehr-u-Nisa, mieux connue sous le nom de Nour Jahan (la lumière du monde).

Shah Jahan, qui l'aimait beaucoup, vécut et mourut entre les murs du Fort d'Agra. Il dépensa sans compter les richesses de son empire en érigeant des monuments qui sont la gloire de cette époque. Il construisit sa nouvelle ville de Shahjahanabad à Delhi. Il bâtit la plupart des bâtiments en marbre du Fort d'Agra et surtout, il construisit le Taj Mahal. En se tenant dans le renfoncement de la Tour de Jasmin, dans le Fort, derrière délicates incrustations dans le marbre, réalisées en jaspe, en agate, en cornaline, en lapis-lazuli et en pierre sanguine. La rivière s'oriente vers l'Est et, de la brume du matin, de l'autre

La tombe de Ghiyas Beg (ou Itimad-ud-daula), père de l'Impératrice Nur Jahan. La tombe se situe au milieu d'un jardin et est le premier monument moghol entièrement construit en marbre, avec des incrustations en pietra dura. Il possède des petits minarets, un toit bas carré avec des coupoles de style hindou.

vous à une courte distance, il y a une fontaine d'eau de rose. Tout autour de vous, de côté des eaux miroitantes et du lit ombragé, s'élèvent alors comme une demeure divine le

dôme et les minarets nacrés du Taj Mahal.

Pour contempler l'extérieur du Taj Mahal, le clair de lune; pour l'intérieur, la lumière du jour. Mais chaque variation de lumière semble lui prêter une grâce nouvelle, et la vue au coucher du soleil est magnifique. Au clair de lune, son charme est irrésistible. Asseyez-vous sur les marches de l'entrée et regardez la lune dériver au-dessus des arbres, et l'anneau de lumière argentée entourer furtivement la base du

dôme, puis glisser lentement vers son sommet.

Les ombres du Taj ne sont pas noires, mais d'une couleur entre l'ambre et le violet; le marbre lui-même luit sous le

du soir, quand le soleil de couleur ambre, rose et or disparaît à l'ouest, derrière les remparts à créneaux du Fort d'Agra. Le bastion de grès rouge symbolise l'énergie et la

Ci-contre : Le Taj s'élève dans la brume matinale telle "une demeure divine."

Pages suivantes 36-37 : *Le Taj brille dans la douce lumière de la pleine lune. Une scène similaire conduisit le voyageur Bayard Taylor, à s'exclamer en 1855: "N'avez-vous jamais construit un château dans les airs ? En voici un, ramené sur terre et inébranlable, merveille pour l'éternité; pourtant il semble si léger, si aérien et contemplé de loin, il ressemble tellement à une étoffe de brumes et de rayons de soleil avec son magnifique dôme dressé, bulle d'argent prête à éclater..."*

Shah Jahan composa les lignes suivantes comme une ode au Taj Mahal, qui abrite le corps de sa bien-aimée -"comme il est excellent que la sépulture de la femme de renommée Bilqis soit devenue le berceau de la princesse du monde."

velours foncé du ciel et rappelle la chaleur et la douce texture de la vie. Regardez, cela apparaît aussi dans la lumière déclinante

passion. L'art subtil et allusif du Taj Mahal véhicule une pensée à part.

Le Taj : Histoire et description

Le meilleur commentaire sur le Taj que j'ai trouvé est peut-être celui de Syad Muhammed Latif, dans son livre sur Agra, publié à Calcutta en 1896. Les extraits suivants donnent un aperçu clair et concis de l'histoire et de l'architecture du Taj Mahal.

A environ un *mile* du Fort se trouve un miracle de l'Orient, le joyau et la gloire de l'architecture indienne, le très célèbre Taj. Situé sur un lacet de la rivière Jamuna, il semble plus proche de la ville qu'il ne l'est en réalité. La route du Taj serpente le long de la rive et fut construite grâce au travail des pauvres et des indigents durant la famine de 1838. Le lit de la rivière, quatre-vingt *pieds* de large, est excellent, et la beauté de la ville est agrémentée de *ghats* de bains pratiques le long de la rive. Les nombreux temples, tours, maisons d'été et autres élégants bâtiments le long de la rivière rendent l'apparence de la ville excessivement charmante et pittoresque.

La zone entre le Fort et le Taj fut à une époque garnie de villas, d'édifices d'état, de superbes palaces et de maisons avec des jardins appartenant aux *Omerahs* (la noblesse) de l'empire moghol. Mais il ne reste plus rien maintenant, hormis d'énormes tertres et des masses de terre informes. Bernier, qui vint à Agra cinq ans après la construction du Taj (en 1648), vit ces bâtiments. Il les décrivit comme "un groupe de maisons récentes avec des arcades, ressemblant à celles des rues principales de Delhi." Elles ont également été remarquées par des historiens contemporains tels que Mulla Abdul Hamid, l'auteur de *Badshah Nama*, et Mohammed-Saleh, auteur de *Amal-I-Saleh*. Il y avait de nombreux bazars dans lesquels une foule de

Plateau en bois laqué noir avec l'image du Taj Mahal réalisé à partir de nacre translucide, reflèt fidèlement les goûts moghols.

biens était vendue par des marchands de différentes régions d'Inde, et de pays éloignés. La classe des marchands avait construit des boutiques et des bâtiments de maçonnerie lourde dans lesquels ils exposaient leur marchandise à vendre. En construisant sur les bords de la rivière, des travaux de maçonnerie ancienne et les fondations parfois épaisses de dix *pieds*, furent mises à jour. Elles étaient tellement solides qu'il fallut les détruire à l'explosif.

Jahangir présenta Arjumand Bano (également appelée plus tard Mumtaz-Uz-Zamani) à Shah Jahan alors âgé de quinze ans et huit mois. La mariée, le jour de la cérémonie, avait dix-neuf ans, huit mois et neuf jours. Le mariage se passa la nuit du vendredi 9 de Rabi-Ul-Awal, 1021 A.H. (1612 A.D.). Au moment propice, le souverain et père affectueux lia des ses propres mains la couronne de perles au turban du marié. Les festivités nuptiales eurent lieu dans le palais de Itimad-Ud-Daula (le grand-père de la mariée), avec l'Empereur Jahangir, honorant l'événement de sa présence. La dot fut fixée à cinq cent mille roupies. Les époux passèrent toute leur vie dans une profonde tendresse.

Sa Majesté (le futur Empereur Shah Jahan) était tellement attachée à Mumtaz-Uz-Zamani qu'elle était son inséparable compagne, et il ne se serait pas séparé d'elle, même lorsqu'il était engagé dans des expéditions militaires dans des régions éloignées de l'Inde comme le Deccan. Il ne lui refusait jamais ce qu'elle voulait. Elle avait acquis en particulier une grande notoriété pour l'obtention de la grâce pour les personnes condamnées à subir la peine extrême prévue par la loi. Ainsi beaucoup d'entre ceux qu'elle recommanda par compassion au roi, pour l'exercice de sa prérogative, lui doivent la vie.

Mumtaz-Uz-Zamani donna quatorze enfants à Shah Jahan (huit fils et six filles) dont sept étaient encore en vie à la mort de l'Empereur en 1630. L'Impératrice mourut en donnant

Plaque de marbre épais avec des incrustations
florales en pierres précieuses.

naissance à son dernier enfant.

Les récits de la cour affirment que "Sa Majesté étant enceinte et proche de l'accouchement, elle tomba soudainement malade, et souffrit d'angoisses pendant le travail, du mardi matin jusqu'au mercredi minuit. C'était le 17 du mois de Zikad, 1040 A.H. (1630 A.D.)." Après minuit, elle donna naissance à une fille, mais à cause de quelques dérangements internes, ses troubles augmentèrent, et elle eut des pertes de conscience. A la longue, voyant qu'elle était proche de la fin, elle demanda à la Princesse Ara Begam qui était assise à ses cotés, d'appeler l'Empereur, son royal consort, d'une chambre dans le *zénana* où Sa Majesté se trouvait alors. Il se hâta vers l'appartement de la Reine et s'assit à la tête du lit de sa bien-aimée mourante. Mumtaz-Uz-Zamani regarda le roi avec désespoir, des larmes au bord des yeux, et lui recommanda de prendre soin de ses enfants et de ses parents âgés quand elle ne serait plus.

Puis, fixant ses yeux sur le compagnon de sa vie, et le parcourant profondément du regard, elle expira, trois heures avant le lever du soleil.

La cour entière porta le deuil. Sa Majesté se vêtit de robes blanches, et les princes royaux, les grands du royaume, les officiels et les serviteurs de l'Etat revêtirent également leurs costumes de deuil. Mumtaz-Uz-Zamani, le jour de sa mort, était âgée de trente-neuf ans, quatre mois et quatre jours. Le poète Bebadal Khan trouva la date de sa mort dans l'hémistiche :

"Puisse le paradis être la demeure de Mumtaz-Uz-Zamani." Celui-ci est daté de 1040 A.H. (1630 A.D.).

Les restes de l'Impératrice furent déposés dans le jardin de Zenabad, selon la tradition orientale d'enterrement temporaire appelée *amanant* (confiance), de l'autre coté de la rivière Tapti, à Burhanpur, où se trouvait le camp du roi, menant la guerre contre Khani-Jahan Lodi dans le Deccan. Le corps fut enterré sur un carré de terre au milieu duquel il y avait une ravissante fontaine qui ornait le jardin du palais de Zenabad.

Sa Majesté, tant que son camp se trouvait à Burhanpur, se fixa comme règle de visiter la tombe chaque vendredi. Il était tellement accablé par le chagrin que pendant une semaine, il refusa de voir un seul des *Amirs* de son empire, ne parut pas à la *Jharoka* (fenêtre) du *Khas*, et n'intervint pas dans le commerce de l'Etat. Pendant deux ans, il abandonna toute espèce de pratiques agréables, particulièrement l'écoute d'instruments de musique, le port de bijoux, l'utilisation de parfums, la nourriture riche et le port d'habits précieux. Mulla Abdul Hamid, qui rapporta ces faits, dit que, au moment de la mort de Mumtaz-Uz-Zamani, il n'y avait pas plus de vingt poils

Ci-contre : Vue panoramique du Taj, situé sur une courbe de la Jamuna. Le site sélectionné pour le mausolée était au sud de la ville d'Agra, et avait sur son sol un palais de Raja Man Singh. Son fils, Raja Jai Singh, hérita d'un édifice de valeur en échange du palais.

blancs dans la barbe du roi, mais peu de temps après sa mort, le nombre de ces poils blancs augmenta prodigieusement.

Six mois après le triste événement, soit le vendredi 17 de Jamadi-Ul-Awal, 1041 A.H. (1631 A.D.), les restes funéraires de l'Impératrice défunte furent envoyés à Akbarabad. L'aumône fut distribuée aux pauvres et aux nécessiteux tout au long du chemin entre Burhanpur et Akbarabad, la dernière demeure de l'Impératrice. Le site choisi pour le mausolée était au sud de la ville et était à l'origine un palais de Raja Man Singh. Mais il appartenait désormais à son petit-fils Raj Jey Singh. Sa Majesté donna au Raja un noble édifice en échange du bâtiment dont l'emplacement fut utilisé pour édifier le mausolée de l'Impératrice décédée. L'enterrement eut lieu le 15 de Jamadi-Ul-Sani, 1041 A.H. Tout d'abord, un dôme temporaire fut érigé au-dessus de la tombe, de sorte qu'elle soit dissimulée aux yeux du public. Mais, sur ordre de l'Empereur, un édifice fut construit au-dessus et tout autour, et il reste jusqu'à nos jours une merveille du monde. Les dépenses engagées pour le monument furent estimées à cinq millions de roupies.

Le Taj fut construit en vingt-deux ans (1630-1652), d'après le voyageur français Tavernier qui rapporta avoir vu le commencement et la fin des travaux. "De toutes les tombes

Folio de Chihl-Majlis *portant la signature et le sceau de Shah Jahan (Source: A.S.I., Delhi).*

Ci-contre : *Sur le côté de la rivière opposé au Taj se trouvent les fondations où Shah Jahan voulait construire sa tombe, similaire au Taj et reliée à lui par un pont de marbre.*

Sur une page d'un manuscrit dans le musée du Taj à Agra, on peut lire : "Le prix du Kamand mentionné ci-dessus est 88 613 roupies et 3 annas. Le salaire et les paiements aux artisans et autres serviteurs se montent à 41 848 716 roupies, 7 annas et 6 paise." (Source: Archaeology Survey of India).

42

d'Agra," écrit-il, "celle de l'épouse de Shah Jahan est la plus splendide. Il l'a construite exprès près du Taj-I-Makan, là où se rendent tous les étrangers pour que le monde entier puisse admirer sa splendeur. Le Taj-I-Makan est un vaste marché consistant en six grandes cours entourées de portiques sous lesquels se trouvent les pièces utilisées par les marchands et une énorme quantité de coton y est vendue."

Une grande porte extérieure

Pages précédentes 44-45 : Les 24 fontaines en marbre sculpté restent silencieuses dans le bassin alors que le Taj miroite à la surface immobile de l'eau. Ci-contre : L'issue principale du Taj s'ouvre sur un espace alors connu sous le nom de Tasimacan, un grand marché consistant en six grandes cours avec des pièces dans lesquelles les marchands vendaient leur marchandise. Les voyageurs de l'époque de Shah Jahan racontaient que l'Empereur avait intentionnellement construit le Taj à côté du Tasimacan où tous les étrangers venaient, de façon à ce que le monde entier puisse admirer la magnificence du Taj. Les quartiers résidentiels d'Agra aujourd'hui avec les ruines de Tasimacan.

s'ouvre sur une cour spacieuse entourée d'arcades de maçonnerie massive et ornée de quatre portes. C'est le caravansérail où les voyageurs et les pauvres étaient logés et distraits aux frais de l'Etat. Le meilleur des experts a remarqué justement que, intrinsèquement beau, le Taj perdrait la moitié de son charme s'il était isolé. C'est la combinaison des structures les plus chastes, de beautés variées, de plans subordonnés l'un à l'autre dans les proportions les plus exactes et les plus parfaites, qui fait du Taj en tant qu'ensemble, ce qu'il est et tel que "le monde ne peut égaler." Alors qu'en entrant dans le caravansérail, vous tentez de le voir, il ne s'exposera pas d'un seul coup à votre regard, mais comme une jeune fille qui fait sa timide, il dissimule son visage, le grand portail opposé servant de voile pour couvrir sa silhouette transcendante.

Passant sur une large chaussée pavée, vous entrez par une grande porte de pierre rouge, une structure noble,

sculptée de façon très élaborée et gravée de phrases du Coran. Elle est surmontée de vingt-six coupoles de marbre blanc qui s'élèvent au-dessus d'une pièce octogonale de quarante-cinq *pieds* carrés, avec un toit de la forme courbe d'un dôme retourné, et de galeries disposées de la façon la plus appropriée. A droite et à gauche du passage intérieur, il y a des plates-formes, élevées du sol d'environ huit *pieds*, sur lesquelles les marchands exposent leurs marchandises.

La porte s'ouvre sur une cour spacieuse (mille huit-cent-soixante *pieds* d'est en ouest et mille *pieds* du nord au sud). Elle est entourée de murs de noble grès rouge, avec des tourelles aux angles et une porte sur trois côtés, le quatrième faisant face à la rivière Jamuna. Lentement, alors que l'on a passé la demi-salle dont la voûte est suspendue très haut au-dessus, la descente de l'escalier révèle à votre regard le superbe Taj aux mille charmes.

Vous apercevez devant vous

un sanctuaire pur et impeccable comme le sanctuaire des cieux, révélant immédiatement par sa grâce et la symétrie de sa forme, par la chasteté de son apparence, la majesté et de pierres carrées, et divisant le jardin en deux parties égales, se déroule maintenant devant vous. La perspective principale suit un bassin de grès rouge, bordé de cyprès (à l'origine des pêchers),

L'entrée à trois étages du complexe du Taj s'élève à 30,5 mètres de haut. Elle est surélevée de onze kiosques en marbre avec des passages ouverts assortis, flanqués de pilastres. L'issue possède quatre larges tours octogona-les à chaque extrémité, qui sont également surmontées de kiosques.

l'effluence de son style, l'esprit élevé de son créateur.

Un long et large chemin pavé qui mène à une plate-forme de marbre. Le Taj s'élève juste au bout et se reflète dans le bassin.

On peut apprécier d'innombrables vues extraordinaires des sièges du jardin. Flânez un moment dans les jardins où vous aurez des points de vue fabuleux sur les structures immaculées, si légères et gracieuses qu'elles semblent flotter dans l'air, sur les coupoles florissantes et les campaniles ascendants. Là se trouvent à la fois grandeur et beauté.

Après quelques pas dans le jardin, le visiteur devrait se retourner et admirer les parties arrières de l'architecture qu'il trouvera aussi magnifiques que devant, dans tous les détails, des colonnes aux travées et aux corniches. Sur chaque coté du pavillon, le long du murs du jardin s'étend une série de larges galeries soutenues par des colonnes basses. D'après Bernier, on tolérait les pauvres dans ces galeries.

Entre la porte et le Taj lui-même, il y a une vaste plate-forme de marbre au centre de laquelle une jolie petite fontaine de la même matière scintille ainsi qu'une rangée de jets d'eau, placés quelques *pieds* les uns des autres, et sculptés de bout en bout. Les jolies promenades sur les côtés de cette rangée de fontaines, chacune projetant un seul et mince filet d'eau, bifurquent dans des directions différentes, ombragées par des arbres de toute sorte.

L'oeil ainsi rafraîchi et l'esprit ainsi réjoui et égayé, une petite promenade d'un quart de *mile* sur l'avenue principale vous mènera au bout de la muraille de marbre blanc, à droite et à gauche de laquelle se trouve un double escalier de marbre d'une grande douceur et d'une grande élégance. Ces marches de marbre mènent à une terrasse de dix-huit *pieds* de haut et de trois cent-treize *pieds* carrés, au milieu de laquelle se dresse le mausolée.

Parvenu à la terrasse, on reste béat d'admiration face à la beauté et la magnificence de l'édifice. A chaque marche, on découvre de nouvelles merveilles. Alors que les uns contemplent chaque détail, les autres sont stupéfaits par la grandeur de l'ambiance qui règne et par le génie qui a accompli une oeuvre aussi merveilleuse. Le sol travaillé de

Pages suivantes 50-51 : Le plan charbagh du jardin du Taj fut apporté de Kaboul par Babar. Les fins minarets des côtés furent préfigurés dans l'entrée de la tombe d'Akbar, et les incrustations en marbre blanc furent inspirées de la tombe d'Itimad-ud-daula.

Une rangée complexe de canaux entoure la fontaine de marbre sculpté au milieu du jardin. Au centre se trouve un bassin rectangulaire surélevé en marbre avec quatre fontaines en forme de boutons de lotus. Pour ces canaux, l'eau est drainée grâce à une ingénieuse méthode de Bagh Khan-e-Alam.

marbre blanc et noir, formant une mosaïque très précise et élégante, est entouré de tout côté par un petit parapet de deux *pieds* de haut. A chaque angle de la terrasse se dresse un minaret

49

d'une hauteur de cent trente-trois *pieds*, aux proportions exquises, construit en marbre blanc, et dominé par une coupole gracieuse et lumineuse, soutenue

La haute entrée de grès de l'ensemble du Taj est décorée de marbre et coiffée de coupoles. Elle porte les inscriptions suivantes en arabe : "La fin avec l'aide de Dieu." L'année d'achèvement du complexe entier, estimée à 1648, est également mentionnée.

52

par huit piliers élégants que l'on peut atteindre par un escalier en colimaçon. Au centre de la plate-forme se trouve le mausolée, un carré de cent quatre-vingt-six *pieds*, encerclé de tourelles en marbre le plus pur, descendant l'une après l'autre en une régulière succession. Le dôme principal, trente-huit *pieds* de diamètre et quatre-vingt *pieds* de haut, s'élève depuis le centre et est surmonté d'un croissant doré, à environ deux cent soixante *pieds* au-dessus du sol. La terrasse supérieure autour de la base du dôme est protégée par un parapet plus haut d'environ six *pieds* dont chaque angle est surmonté de coupoles soutenues par de fins piliers de marbre. Ces structures, vues du jardin du dessous donnent à tout l'ensemble une apparence claire et brillante, et confèrent du relief au monument, quand on le compare au dôme bulbeux d'à côté. Sans cela, le gros bulbe aurait une silhouette plus lourde.

[Entrez dans la châsse centrale et, dans la lumière atténuée qui pénètre à travers un double ensemble de treillis, vous apprécierez les mystérieuses profondeurs, les nuages de guirlandes et de pierres précieuses et les touches de marbre coloré . . . Au centre de la tombe se trouve une pièce octogonale entourée d'autres pièces. De chaque pièce d'angle, un escalier en colimaçon conduit au toit. Sous le centre du dôme, orné d'un écran de treillis de marbre blanc qui date probablement du règne d'Aurangzeb, se trouvent les tombes de Mumtaz-I-Mahal (au centre) et de Shah Jahan. Celles-

Ci-contre : Dans l'ensemble architectural entier du Taj, la tombe n'occupe en fait qu'une partie relativement restreinte. Le complexe est en forme de rectangle aligné nord-sud; au centre se trouve un jardin carré, laissant un espace oblong à chaque extrémité du rectangle. Au sud, il est occupé par la porte et les bâtiments auxiliaires; au nord, le long du front silencieux de la rivière, par la tombe elle-même. Cependant, chaque élément a été prévu proportionnellement à la structure centrale, le Taj, qui s'élève "comme une princesse magnifique entourée de ses dames d'honneur."

ci, néanmoins, ne sont pas les vraies tombes, les corps reposant dans un caveau, nivelé par la surface du sol, sous des pierres tombales en plâtre, en dessous de celles du hall.]

Les côtés de la pièce octogonale centrale, d'environ soixante *pieds* de diamètre, font face aux quatre points cardinaux et disposent d'entrées, toutes de cent trente *pieds* de long. il y a une série de huit pièces octogonales tout autour, ayant un accès direct à l'appartement

"A travers les mailles d'albâtre des embrasures de la fenêtre, l'éblouissante lumière du soleil est atténuée, et ses rayons viennent embrasser le sarcophage qui porte l'effigie du défunt." La tombe de Mumtaz Mahal dans un flot de lumière.

***Ci-contre :** La décision d'enterrer Shah Jahan à côté de sa bien-aimée fut prise par son fils Aurangzeb. Son cénotaphe devait donc être placé au centre, et était plus grand que celui de Mumtaz, comme prescrit par l'Islam. Ce fut Aurangzeb qui nota, "mon père entretenait une grande affection pour ma mère; faisons en sorte que sa dernière demeure soit près de la sienne." Une vue de dessus de deux cénotaphes.*

central. Dans ces pièces, le Coran était constamment lu par des *mollahs* au profit de l'âme du couple royal dont les cendres étaient enterrées là. Bernier, dans ses voyages, rend compte de la lecture du Coran par ces *Mollahs*. Tavernier remarqua sur le même sujet que "de temps en temps, ils changent les tapis, les chandeliers et autres décorations de ce genre, et il y a toujours des *Mollahs* pour prier." Les arches en ellipse forment les portes d'une hauteur de dix-huit *pieds* avec au-dessus, des fenêtres, également en ellipse. La grande entrée est formée d'une arche unique en pointe qui

Un écran, au délicat travail de treillis de marbre, de huit pieds de haut, sculpté dans un seul bloc de marbre, octogonal, et qui nécessita dix ans pour le construire, entoure les cénotaphes de Mumtaz Mahal et de Shah Jahan, protégeant les sarcophages, mais laissant pénétrer les lumineux rayons du soleil.
Ci-contre : *"Le destin a concédé à l'amour ce qui fut refusé à la vanité."* *Le couple royal gît sous le dôme de la chambre, avec la tombe de Mumtaz au premier plan.*

s'élève presque jusqu'à la corniche. L'entrée et les arches de bas en haut, le dôme et les galeries supérieures sont décorés de fleurs en relief taillées dans le marbre selon différents motifs, et sont incrustés dans le marbre d'après un dessin décoratif de couleurs différentes, particulièrement dans les tons brun clair et violet bleuté. Du sol jusqu'en haut des arches ainsi que le long des murs, des passages du Coran sont gravés en lettres de marbre noir sur marbre blanc avec une telle précision que si vous passiez une tête d'épingle sur la pierre, elle ne serait arrêtée nulle part, tant la

Ci-contre : *Sculptée dans un seul bloc de marbre, une série de motifs couronne l'écran de marbre percé entourant les cénotaphes. Le motif floral est incrusté de pierres précieuses telles que des jaspes, des agates et des pierres sanguines, choisie chacune pour représenter au mieux les douces nuances d'une fleur. Pour certains motifs, plus de soixante pierres furent utilisées.*

surface est lisse et douce, bien que ce ne soit qu'un simple travail d'incrustation. Chaque lettre ainsi incrustée mesure près d'un pied. D'après un écrivain, elles sont taillées si régulièrement, avec une telle

Le motif du soleil avec des incrustations florales au sommet du sarcophage de Shah Jahan dans la chambre octogonale. Il n'y a pas d'inscriptions coraniques sur son cénotaphe, seulement des incrustations florales, car pour Aurangzeb, il eût été sacrilège de fouler ces inscriptions.

précision et une telle élégance, que le meilleur des calligraphistes ne pourrait produire de meilleurs caractères *Tughra* ou *Cufi* avec un crayon et du papier.

A propos de l'agencement de la lumière dans la pièce octogonale et de la température fraîche qui y règne, Fergusson écrit "dans l'appartement central, la lumière pénètre à travers un double écran en treillis de marbre blanc, d'après des motifs exquis, un sur le coté extérieur, l'autre sur le coté intérieur des murs. Dans nos zones climatiques, cela aurait été d'une obscurité presque complète, mais en Inde, dans un bâtiment presque entièrement composé de marbre blanc, cela était nécessaire pour atténuer la lumière qui aurait été intolérable. Il n'y a pas de mots pour décrire cette lumière charmante et douce qui passe à travers les ouvertures environnantes. Quand il était utilisé comme un *Bara Dari*, ou palais du plaisir, cela devait sans

59

doute être le plus frais et le plus charmant des jardins de retraite, et maintenant qu'il est dédié aux morts, c'est la plus gracieuse et la plus impressionnante des sépultures du monde." Les scènes, faites de marbre et de jaspe, sont décorées de plinthes de tablettes sculptées représentant des fleurs d'apparence variée.

Dans le grand hall octogonal, et sous le dôme décrit précédemment, se trouve, au centre, la tombe de Mumtaz-Uz-Zamani (ou Mumtaz Mahal), et celle de Shah Jahan. Les tombes sont des sarcophages du marbre le plus pur, sculptés de façon exquise et incrustés d'agate, de pierre sanguine, de lapis-lazuli, de cornaline et autres pierres précieuses multicolores, qui ont été disposées à la base avec élégance et précision. D'après les meilleurs experts, certaines fleurs gravées sur les cénotaphes sont

La tombe de Shah Jahan dans la chambre haute surprend par l'absence d'inscription coranique. L'agencement des ornements est tel que marbre et incrustations offrent le meilleur aspect.

incrustées avec une telle précision qu'elles comprennent cinquante ou soixante variétés de pierres différentes sur un espace de moins d'un *inch*. Grâce à une telle finition et une telle délicatesse dans l'exécution, quand elles sont ensemble, elles offrent au regard l'image de vraies fleurs imitées avec fidélité. Les cénotaphes sont entourés d'un paravent octogonal de huit *pieds* de haut, taillé dans de solides blocs de marbre blanc extrêmement poli, la porte de l'enclos, en forme d'arc étant quelques *pieds* plus haut. L'incrustation est un traçage ouvert, d'une excellente disposition, les lilas, les iris et les autres fleurs étant emmêlées dans le plus compliqué des motifs ornementaux. La surface des murs intérieurs est extrêmement polie et révèle un art sculptural qui atteint son plus

La vraie tombe de Shah Jahan repose dans une crypte souterraine sans air. Elle est d'un travail plus sobre, mais autrefois elle était plus riche que son homologue. Elle a souffert du pillage, ainsi on en voit une version restaurée.

haut niveau de complexité, de minutie et d'élégance. Tous les angles sont enluminées avec du marbre blanc de la composition la plus pure, incrusté de pierres précieuses, de pierres sanguines, de jaspes ou autres, représentant des couronnes de fleurs et des rouleaux, disposés de mille façons différentes, et formant selon les experts "le plus merveilleux et le plus précieux

Vue frontale de la tombe de Mumtaz Mahal, incrustée de motifs floraux. L'Islam considère qu'une femme qui décède en donnant la vie est une martyre, et de ce fait, la tombe de Mumtaz Mahal possède des inscriptions du Coran. La plaque mentionne "la sépulture illuminée d'Arjumand Bano Begam, élevée au titre de Mumtaz Mahal. Décédée en 1040 A.H. (1630 A.D.) soit trente-six ans avant la mort du Roi." Sur les côtés du sarcophage sont inscrits les quatre-vingt-dix-neuf noms de Dieu. Au sommet se trouve l'inscription "Il est éternel. Il est suffisant", suivie d'un passage du Coran.
Ci-contre : *Vue de côté du cénotaphe de marbre translucide de Mumtaz Mahal, décoré avec un superbe travail d'incrustation. La vraie tombe de Mumtaz se trouve dans un caveau sans fenêtre situé juste en dessous.*

des ornements jamais utilisés en architecture." L'inscription dit :

La sépulture illuminée et dernière demeure de sa Majesté la plus noble, dignifiée et élevée au rang de Razwan, ayant sa demeure au paradis et dans un ciel étoilé, habitant d'un monde de félicité, la constellation du second dieu, Shah Jahan, le roi valeureux, puisse son mausolée être toujours florissant, et puisse sa demeure être au paradis. Il voyagea de ce monde transitoire

Au-dessus du cénotaphe de Mumtaz Mahal se trouve une ardoise sur laquelle il était coutume de dire que le mari inscrirait ses désirs et qu'elle les accomplirait au paradis, comme elle l'avait fait sur terre.

Ci-contre : *L'intérieur du hall central du Taj est illuminé par un chandelier égyptien, offert en 1909 par Lord Curzon.*

Doubles pages suivantes 66-67 : *Le cénotaphe de Shah Jahan est surmonté d'un encrier qui, d'après les croyances, était utilisé pour inscrire les désirs sur l'ardoise au-dessus de la tombe de sa bien-aimée. Le marbre utilisé pour la tombe est si fin qu'il est translucide. Quarante variétés de pierres précieuses et semi-précieuses furent utilisées pour obtenir la qualité exceptionnelle du travail d'incrustation sur les deux cénotaphes.*

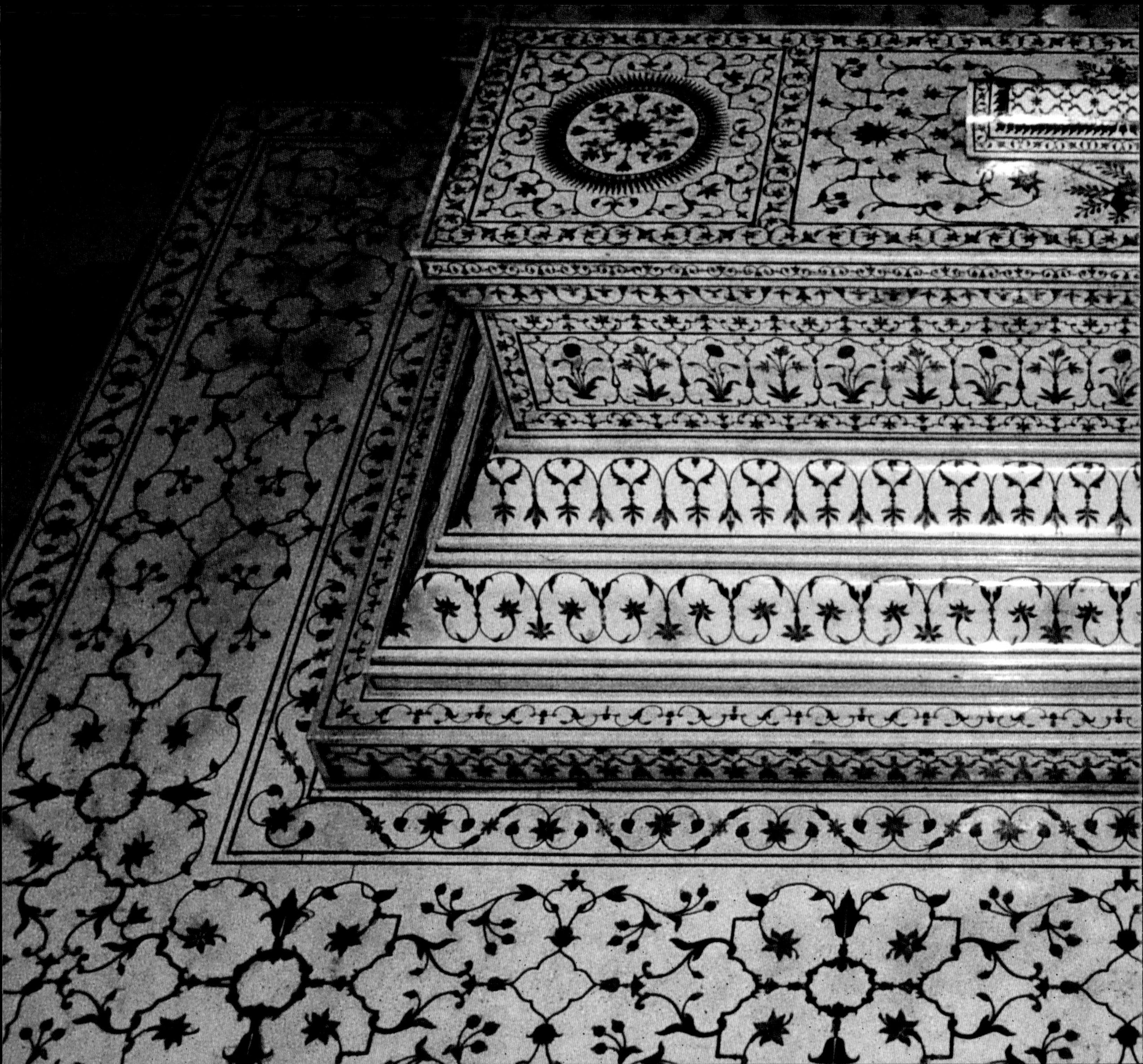

au monde de l'éternité la nuit du 28 du mois de Rajab 1076 A.H. (1665 A.D.).

La sépulture illuminée d'Arjumand Bano Begam à laquelle on attribua le titre de Mumtaz Mahal, qui mourut en 1040 A.H. (1630 A.D.) soit trente-six ans avant la mort du roi.

Au-dessus du sarcophage sont inscrits les quatre-vingt-dix-neuf noms de Dieu. A la tête du sarcophage, on trouve l'inscription suivante : il est éternel, il est suffisant.

Sur un des côtés est inscrit la phrase suivante : plus près de Dieu sont ceux qui disent "notre Seigneur est Dieu."

A la tête du sarcophage, on

L'entrée de la chambre au dôme se fait par une haute arche en pointe, caractérisée par une porte ciselée et une fenêtre au-dessus. Chaque lettre sur les côtés et sur les panneaux de l'entrée possède des passages du Coran inscrits en marbre noir, chacun d'environ un pied de long. L'illusion d'optique qui fait apparaître toutes les inscriptions de la même taille est créée par l'écriture qui est agrandie en fonction de la hauteur.

trouve le passage du Coran suivant :

Dieu est celui qui n'a pas de Dieu auprès de lui. Il sait ce qui est caché et ce qui est manifeste. Il est miséricordieux et compatissant.

Les vraies tombes sont dans une pièce basse souterraine, placées exactement sous celle du hall au-dessus. Comme dans le hall supérieur, la tombe de Shah Jahan est plus haute que celle de la reine, cette dernière étant au centre de la chambre souterraine alors que l'autre repose sur le côté gauche.

On atteint cette spacieuse chambre souterraine par un passage incliné, si bien poli que la plus grande attention est nécessaire pour éviter de glisser. La lumière se déverse directement de la porte sur les tombes qui sont beaucoup plus simplement travaillées. Sous ces tombes reposent les cendres de la ravissante Mumtaz Mahal. Shah Jahan fut lui-même enterré à ses côtés par son fils Aurangzeb. Sur le sarcophage de l'empereur, dans la vraie tombe,

les mots suivants sont inscrits : "La sépulture sacrée de Sa Majesté la plus haute, habitant du paradis, deuxième seigneur de la constellation, puisse son mausolée fleurir à jamais, 1067

Un travail d'incrustation de pierres précieuses entoure le bas-relief de marbre sculpté sur les principales portes du mausolée.

A.H. (1665 A.D.)."

Les inscriptions sur la tombe de l'Impératrice sont les mêmes que sur celle du sarcophage à l'étage supérieur.

Le dôme majestueux du Taj produit un écho immédiat, pur, doux et prolongé. Une seule note flotte et s'élève au-dessus du caveau en une délicieuse vibration. Les échos réverbérés

se renforcent en des voix harmonieuses, s'évaporent petit à petit jusqu'à ce qu'ils disparaissent dans la voûte bleue des cieux. Les écrivains sont des

69

plus enthousiastes pour décrire les effets produits par l'ondulation. "Je m'imagine" dit l'un "l'effet d'une lamentation perse ou arabe chantée sur sa tombe pour la jolie Mumtaz. Les harmonies des anges du paradis." Un autre, se référant aux vibrations provoquées par une chanson de prière et de paix lente et douce, dit : "C'est comme si des congrégations des

Le Taj est flanqué de deux bâtiments de grès rouge, de même forme, qui furent édifiés principalement pour servir d'éléments d'équilibre à l'ensemble. Ils ressemblent à des mosquées, bien que la vraie mosquée soit le bâtiment de l'ouest (la Masjid), celui de l'est, la Jamat Khana étant seulement une réplique (jawab).

réponses qui viendraient d'en haut pendant les pauses de la chanson doivent ressembler aux cieux chantaient leurs hymnes au-dessus de nos têtes."

Sur chaque côté du Taj, éloignées d'une centaine de *yards*, se trouvent deux grandes mosquées de grès rouge avec trois dômes incrustés de marbre blanc. Celle à l'ouest était seulement destinée aux prêtres et possède des renfoncements en direction du *Kaaba*. Le sol est délimité par des petites portions, suffisantes pour permettre à un homme de se tenir debout, de plier ses genoux et de s'asseoir pour se prosterner en s'agenouillant, comme cela est prescrit par la loi islamique.

Celle qui se trouve à l'est, qui est exactement similaire à l'autre mais sans les renfoncements vers le *Kaaba* et sans les sièges pour la prière, était destinée à préserver la symétrie de l'ensemble et l'uniformité de l'apparence extérieure.

La fausse mosquée est connue sous le nom de Jamat Khana, ou endroit pour le rassemblement de la congrégation avant les prières, pour les anniversaires de la mort de l'Empereur Shah Jahan ou de celle de Mumtaz-Mahal. Dans un enclos, sous la vraie mosquée, un point a été

marqué pour signaler l'endroit
où le corps embaumé de
l'Impératrice fut disposé pendant
la construction du mausolée. La
Masjid et la Jamat Khana sont
reliées par un petit parapet et
des marches mènent à la rivière.
Dans la Jamat Khana, une suite
d'appartements de luxe a été
ajoutée pour loger les visiteurs
du Taj qui souhaitent effectuer
un séjour temporaire, soit pour
se reposer, soit par plaisir. Au
sommet de cet ensemble et du
minaret, on est gratifié d'une vue
magnifique sur la campagne
environnante. Exactement à
l'opposé du Taj, sur l'autre rive
de la rivière, se trouvent les
ruines de vieilles fondations.
Shah Jahan destinait ces
fondations à la construction d'un
bâtiment pur lui-même,
correspondant au Taj et un
magnifique pont de marbre
devait relier les deux tombes,

*Le travail du stuc au plafond du hall
d'entrée de la mosquée qui flanque le
Taj. Les deux bâtiments sont en grès
rouge, et la mosaïque incrustée faite
de stuc et de marbre est de la plus
haute qualité.*

pour montrer le lien affectif entre lui et sa bien-aimée, même après la mort. Mais par la suite, sa captivité empêcha la mise à exécution de son souhait, et quand il mourut, son austère de fils Aurangzeb, comme il a déjà été noté, l'enterra à côté de sa femme faisant cette remarque: "Mon père cultiva une grande affection pour ma mère. Faisons en sorte que sa dernière demeure soit proche de la sienne." Ainsi concluent les mots de Taylor : "Le destin concéda à l'amour ce qui fut refusé à la vanité."

La vue du Taj au clair de lune est la plus pénétrante. La

Une vue arrière du Taj et de ses deux bâtiments adjacents, de la rivière Jamuna.

Ci-contre : *La Masjid (la vraie mosquée) et la Jamat Khana (maison d'amis) ou jawab du Taj où les congrégations des adorateurs avaient coutume de se rassembler. La vraie mosquée, toujours en service, possède des niches sculptées pour les prières qui font face au Kaaba. Près de là se trouve l'endroit où le corps de Mumtaz Mahal fut enterré après avoir été rapporté de Burhanpur, et avant qu'il soit envoyé dans sa dernière demeure à l'intérieur du mausolée.*

structure entière donne l'impression de briller comme un diamant, plongé dans les rayons obliques. Et le dôme d'un blanc pur qui s'élève d'un sol en

Bien que la Jamuna ne coule que d'un côté du Taj, le monument est entouré de canaux dans lesquels il se reflète à l'infini. L'eau est fournie par des conduits souterrains, dessinés de telle sorte que l'eau arrive mais compte tenu de la longue distance par rapport à la source.

marbre, lorsqu'on le regarde de loin, ressemble à une perle sur un plateau d'argent. Les décorations sur les murs de marbre ressemblent à une multitude de pierres précieuses sur un bibelot, et le ruisseau coulant à côté, associé à l'ombre douce autour des arbres, ajoute au charme de la scène. Rien, excepté un léger bruissement, ne rompt le calme ambiant.

Les écrivains récents divergent quant à l'origine et la conception du Taj. Certains supposent qu'il fut dessiné par un artiste italien, et d'autres pensent qu'un artiste français fut l'auteur des magnifiques incrustations dans le marbre, qui sont des plus parfaites. La cour de Shah Jahan fut visitée par des voyageurs français, Bernier et Tavernier, et ils ont livré un compte-rendu complet de la construction dans leurs récits de voyage. Tavernier vit le commencement et la fin des travaux du Taj, et Bernier vint en Inde seulement cinq ans après son achèvement. Si des compatriotes ou des artistes

européens avaient été les auteurs des plans, il est absolument improbable qu'ils eussent omis d'en parler dans leurs chroniques, et ils auraient été les premiers à se donner le crédit qui leur revenait de droit. Mais ils n'y ont même pas fait une allusion dans les récits qu'ils ont fournis à la postérité, sur l'inspection de ce bâtiment fabuleux. De plus, le Taj offre lui-même la meilleure preuve qu'il ne doit son existence à

Ci-contre : Les proportions du Taj sont parfaites, et il garde le même aspect quelque soit l'angle. Le mausolée entier est en marbre et disposé sur un espace carré avec quatre minces minarets de 133 pieds de haut à chaque coin. Les minarets sont surmontés par une légère coupole supportée par huit élégants piliers et on y accède par un escalier à colimaçon. Le bâtiment est un parfait carré de 186 pieds avec des tourelles à chaque angle, et quatre issues en arche aux points cardinaux. Les issues sont flanquées d'alcôves avec des arches à double voûte, scellées avec des écrans de treillis en marbre qui permettent à la lumière de pénétrer dans le hall central qui abrite les cénotaphes de Shah Jahan et de Mumtaz Mahal.

aucun plan étranger. "Un seul regard sur lui," écrit un auteur anglais, "doit assurer à tout homme intelligent que cela est faux, impossible, d'après la nature de la chose. Le Taj est du musulman gravé sur le bâtiment." Un autre écrivain observe "l'idée d'un tel bâtiment est complètement musulmane et orientale." L'idée est en parfait accord avec l'amour de la

La construction du Taj commença en 1630, soit un an après la mort de Mumtaz Mahal. La date d'achèvement du monument, inscrite sur l'entrée de devant, est 1057 A.H. (1648 A.D.). Par conséquent, la construction dura dix-huit ans. Le coût s'éleva à trois millions de *sterlings*. Les portes en argent du mausolée, qui ont été enlevées et fondues par les *Jats*, coûtèrent à elles seules cent vingt-sept mille roupies.

On nous dit dans le *Badshah Namah* qu'en 1042 A.H. (1632 A.D.), une enceinte d'or massif, parsemée de pierres précieuses, fut placée autour du sarcophage de l'Impératrice. Elle fut exécutée sous la direction de Beadal Khan, le superintendant de la cuisine royale (Khasa Sharifa), et fut un parfait spécimen de joaillerie indienne. Elle pesait quarante mille *tolahs*

D'après l'Islam, le langage de l'art le plus fin permet au croyant de transcender les sens au travers des sens, servant ainsi la religion de façon très puissante.

plus pur style saracénique dans sa forme, ses proportions et ses dessins décoratifs. Si cela n'est pas suffisant, nous avons toujours le nom de l'architecte

symétrie, caractéristique des pays musulmans, et le Taj est certainement la plus belle oeuvre d'art de style saracénique, la merveille des mausolées.

Ci-contre : Les coins du bâtiment principal sont passés au chanfrein pour éliminer toute granulosité, et donner un effet tridimensionnel. Et cela permet aux minarets de faire face à un mur courbé plutôt qu'à un angle.

d'or pur et fut évaluée à six cent mille roupies. L'intérieur du mausolée était décoré avec un assortiment de chandeliers, de bougies, de lampes de décoration et de lanternes de tailles, de couleurs et d'abat-jour différents, ce qui coûta une centaine de milliers de roupies, et ce qui, ajouté aux tapis de haute finition de Téhéran et de Constantinople étendus sur le sol, faisait ressembler la pièce à une scène de conte de fées, un paradis sur terre.

En l'an 1052 A.H. (1642 A.D.), la palissade en or mentionnée précédemment fut enlevée car on craignait qu'une telle quantité d'or soit exposée au vol. Cette

Pages précédentes 78-79 : "L'amour de l'Empereur a élevé ici un monument impérissable à sa femme décédée, a sauvé son nom de l'oubli et l'a couronnée d'une auréole d'immortalité." Le mausolée vu de la fontaine centrale.
Ci-contre : Les fontaines et les canaux étaient essentiels au jardin de la tombe. Ici on voit le Taj se réfléchir dans le bassin de pierre.

structure qui est un chef-d'oeuvre d'élégance et de beauté sculpturale fut d'après le *Badshah Nama*, construite en une dizaine d'années, et pour un coût de cinquante mille roupies. En 1720, un drap de perles, qui avait été commandé par Shah Jahan pour couvrir la tombe de Mumtaz Mahal au prix de centaines de milliers de roupies, fut également enlevé. Tavernier raconte : je fus témoin du début et de la fin de ce grand chantier sur lequel ils ont passé vingt-deux ans pendant lesquels les hommes ont travaillé de façon incessante. Cela est assez pour permettre à chacun de réaliser l'éternité de son coût. On dit que les échafaudages seuls coûtèrent plus que tout le chantier, parce que par manque de bois, ils durent tous être réalisés en briques, ainsi que les supports des arches, cela impliquant une main-d'oeuvre nombreuse et de lourdes dépenses. Shah Jahan commença à construire sa propre tombe de l'autre côté de la rivière, mais la guerre avec ses fils interrompit ses plans, et

Aurangzeb, qui régna par la suite, n'était pas disposé à l'achever. Un eunuque commandant deux mille hommes garde les deux tombes de Begam et de Tasemacan, à portée de main.

Les historiens perses de Shah Jahan ont donné une liste complète des travailleurs des divers pays qui ont participé à la construction du Taj, des matériaux utilisés, de leurs dimensions et de leur prix. Nous en donnons seulement un résumé en possession des *Khadims*, les gardiens héréditaires du mausolée.

L'architecte en chef était Ustad Isa, appelé Naksha Nauri, le dessinateur de plans. Son salaire se montait à mille roupies par mois. Son fils, Mohammed Sharif, fut employé comme architecte pour cinq cents roupies par mois. Les passages du Coran en caractères *Tughra*, gravés sur différentes parties du bâtiment, furent exécutés par le brillant Amanat Khan de Shiraz, qui reçut un salaire mensuel de mille roupies. On retrouve son

nom inscrit en gros caractère *Tughra* sur le côté droit lorsque l'on pénètre dans la tombe. On trouve donc, suite à la date 1048 A.H. l'inscription "L'humble fakir Amanat Khan de Shiraz." Le maçon en chef était un certain Mohamed Hanif de Bagdad, qui recevait également mille roupies par mois. Il y avait aussi Ismail Khan, l'architecte du dôme, un habitant de Rum (Turquie orientale) pour deux cents par mois; Mohamed Khan, maître en écriture de Bagdad pour également deux cents roupies par mois; Mannu Beg Pachikar, artisan en mosaïque de Rum pour sept-cent-quatre-vingts roupies par mois; Manohar Singh de Balkh pour deux cents roupies par mois; Mannu Lal de Chandhar pour deux cents roupies par mois; Din Mohamed de Peshawar pour quatre-vingts roupies par mois; Mohamed Usuf d'Akbarabad pour cent roupies par mois; Kayam Khan, fabricant de pinacle de Lahore pour quatre-vingt-quinze roupies par mois, et beaucoup d'autres en provenance de Turquie, de Perse, de Delhi, du Catack et du Penjab, qui reçurent des salaires allant de cent à cinq cents roupies par mois.

D'après le *Badshah Nama*, la construction du Taj fut supervisée par Makramat Khan et Mir Abdul Karim, pour un coût de cinq millions de roupies. Les banlieues s'étalèrent en une vaste ville appelée Mumtazabad. Le revenu de trente villages dans le secteur de Pargana, un quartier d'Agra, avec un revenu supérieur à quatre millions de *dams* ou de cent mille roupies par an, fut mis de côté pour l'entretien du mausolée. En plus de cela, le revenu de tous les magasins, les rues et les sérails liés au mausolée et se montant à deux cent mille roupies par an, fut assigné au paiement des salaires et des allocations des servants et fonctionnaires attachés.

Le marbre blanc venait de Jaipur au Rajputanna. Le marbre jaune venait lui des rives de la Narbada, le noir d'un endroit appelé Charkoh, le cristal de Chine, la jaspe du Penjab, la cornaline de Baghada, la turquoise du Tibet, l'agate du Yémen, le lapis-lazuli de Ceylan, le corail d'Arabie et de la Mer Rouge, les grenades de Bundelkhand, les diamants de Panna et de Bundelkhand. La pierre venait de Jaisalmer, le roc de Narbada, la pierre de taille de Gwalior, l'onyx de Perse, les saphirs de Ceylan et la pierre sanguine dont cent quatorze mille *carts* furent utilisés venait de Fatehpur Sikri. Beaucoup d'autres pierres qui furent utilisées dans le travail d'incrustation n'ont pas de nom équivalent en français. Beaucoup des pierres furent reçues comme un tribut des dignitaires dirigeants de l'Inde, alors que beaucoup d'autres furent reçues comme de simples cadeaux.

Ci-contre : La rivière se courbe à l'est et dans le brouillard matinal, au travers des eaux chatoyantes et du lit ombragé se dresse le dôme nacré et les minarets du Taj Mahal.
Page suivante 84 : *L'équilibre, l'harmonie et la majesté du Taj resteront une constante, quoi qu'il change dans le paysage environnant.*